ANA Y VALENTINA

*Las ilustraciones de este libro se han realizado con pinturas al óleo
e impresión láser en papel de acuarela.*

Título original: *Molly and Mae*
Originalmente publicado por Little Hare Books,
un sello de Hardie Grant Egmont, Australia, 2016

© del texto, Danny Parker, 2016
© de las ilustraciones, Freya Blackwood, 2016
© de la presente edición, Plataforma Editorial, 2017
© de la traducción: Isabel de Miquel

Derechos de traducción concedidos a través de Verok Agency, Barcelona, España

ISBN: 978-84-17002-19-0
Depósito Legal: B 4011-2017
IBIC: YFU

Impreso en China

La editorial cede el 0,7 % de las ventas
de los libros de Patio a ONG

Para toda la familia de L&T
y por los viajes que nos esperan. –DP

Para mi amiga de la infancia Sally Hardy. –FB

ANA Y VALENTINA

Escrito por DANNY PARKER

Ilustrado por FREYA BLACKWOOD

patio

ANDÉN

Ana descubre a Valentina
debajo del banco. ¡Qué risa!

Valentina descubre a Ana en el kiosco.
¡Qué divertido!

Mamá las descubre mascando chicle
y las regaña.

Demasiado tarde.
¡Están pegadas!

HORARIO

8:24 Fotografías

8:32 Haciendo equilibrios

8:40 Ballet

8:45 Golosinas

9:05 Secretos

9:10 Siempre juntas

RECIÉN PINTADO

SALIDA →

Colorean y visten a sus muñecas.

Esperan un poco a tener hambre.

Saltan sobre los asientos.
Se cuelgan del revés.

Molestan a mamá.

Y a los demás.

Se aburren.
Se cansan de no hacer nada.

Juegan al «Veo, veo. Qué ves…».

Ana piensa que Valentina es tonta. Y se lo dice.
Valentina está harta de que le den órdenes.

Ana está enfadada y se pone a gritar.

Le da la espalda a Valentina.

POR LA VENTANA

Llueve.
El paisaje es monótono.
El campo se ve mojado y gris.

El mundo entero parece oscuro.

Ana y Valentina dibujan con el dedo
en el cristal empañado.
Se echan de menos.

PUENTE

Ana esconde las palabras
que no tenía que haber dicho.

Luego busca las palabras
que tendría que haber dicho,

y empieza a construir un puente.

Valentina añade algunas palabras más,
hasta que el puente es lo bastante sólido
para las dos.

VÍAS

Las vías se prolongan
en ambas direcciones,
hasta donde se pierde la vista.

Hay valles y colinas, tramos curvos y tramos rectos, puentes y túneles.

El tren sigue avanzando.

DESTINO

Recogen sus cosas
entre las dos.

Todo en su lugar.

Luego se dan
la mano
y bajan del tren.